文字雙胞胎（下）

文／謝武彰　圖／鄭淑芬

商務印書館

文 / 謝武彰 (2009)　圖 / 鄭淑芬 (2009)
本版由 ©2017 台北信誼基金出版社授權出版發行

文字雙胞胎（下）

作　　者：謝武彰
繪　　圖：鄭淑芬
責任編輯：鄒淑樺
封面設計：李莫冰
出　　版：商務印書館 (香港) 有限公司
香港筲箕灣耀興道 3 號東滙廣場 8 樓
http://www.commercialpress.com.hk
發　　行：香港聯合書刊物流有限公司
香港新界大埔汀麗路 36 號中華商務印刷大廈 3 字樓
印　　刷：美雅印刷製本有限公司
九龍觀塘榮業街 6 號海濱工業大廈 4 樓 A
版　　次：2017 年 9 月第 1 版第 1 次印刷

ISBN 978 962 07 5751 8
Printed in Hong Kong

目
錄

比北

比一比、比一比，

南山高還是北山高？

比一比、比一比，

北山比南山高。

北山雖然比南山高，

南山的風景卻比北山好。

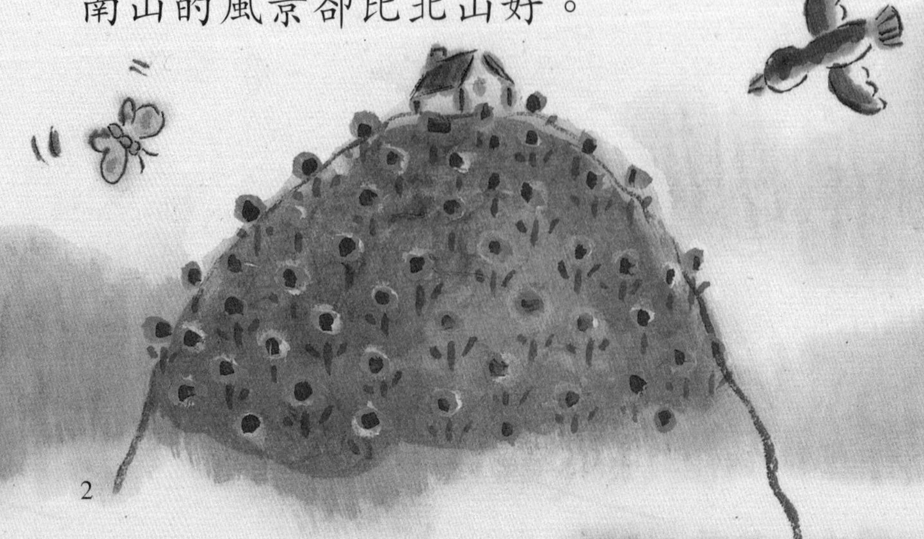

比	【比】部 比賽　比較 比如　比一比
北	【匕】部 北極　北邊 北方　北面 北部　北風

乖 乘

小乖乖，乘高鐵，

高鐵，咻咻咻——

小乖乖，乘汽車，

汽車，嘟嘟嘟。

小乖乖，乘火車，

火車，嗚嗚嗚。

乖	【丿】部 乖巧　乖乖 不乖　很乖
乘	【丿】部 乘法　乘車 乘涼　乘除 相乘

汗汁

走走路、跑跑步，

爸爸流汗了，

我也流汗了。

咕嚕咕嚕咕嚕……

爸爸喝果汁，

我也喝果汁。

汗	【水】部 汗衫　汗水 流汗　擦汗 汗珠子
汁	【水】部 墨汁　肉汁 果汁　果菜汁

楊 揚

公園裏，有楊柳，

在風裏，輕輕地飄揚。

楊柳枝，長又長，

在風裏，輕輕地飄揚。

楊柳枝，青又青，

在風裏，輕輕地飄揚。

楊	【木】部 楊花　楊柳 楊梅　楊桃
揚	【手】部 表揚　張揚 揚名　揚帆

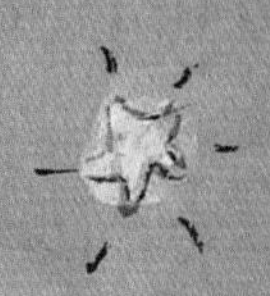
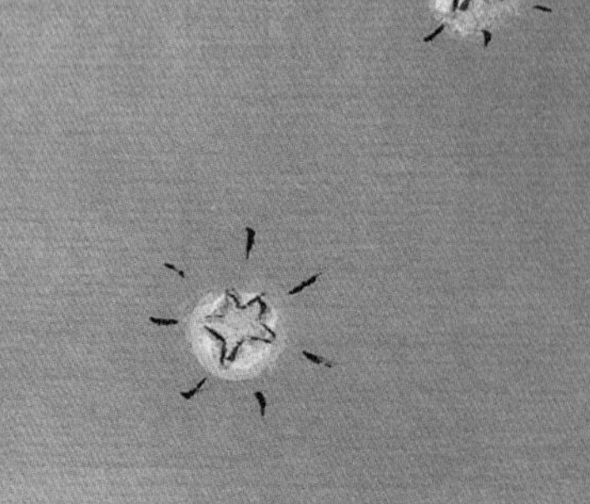
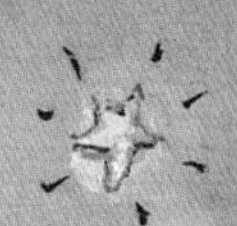

爪 瓜

姊姊喜歡吃雞爪，

姊姊喜歡吃西瓜，

姊姊喜歡吃香瓜。

姊姊，買雞爪，

姊姊，買西瓜，

姊姊，買香瓜。

爪	【爪】部 爪子　爪兒
瓜	【瓜】部 瓜子　西瓜 冬瓜　木瓜 香瓜　瓜子臉

全金

項鏈全都是黃金做的，

戒指全都是黃金做的，

項鏈和戒指

　全都是黃金做的。

銀樓賣的不全是黃金，

銀樓也賣寶石和白銀。

字	部首與詞語
全	【入】部 全年　全身 全套　全家 全部
金	【金】部 金魚　金星 金牌　黃金 白金　金龜子

入 人

出出、入入，

入入、出出，

有的人出、有的人入。

有的人入、有的人出，

好多人，在車站門口，

好多人，忙着趕路。

入	【入】部 入口　入迷 入學　進入 出入
人	【人】部 人口　人家 男人　女人 大人　人數

要耍

我要跟爸爸去玩耍，

我要跟媽媽去玩耍。

我們去看猴子耍刀耍槍，

鼕鼕鏘、鼕鼕鏘——

看過了猴子耍槍耍刀，

我們還要去吃漢堡。

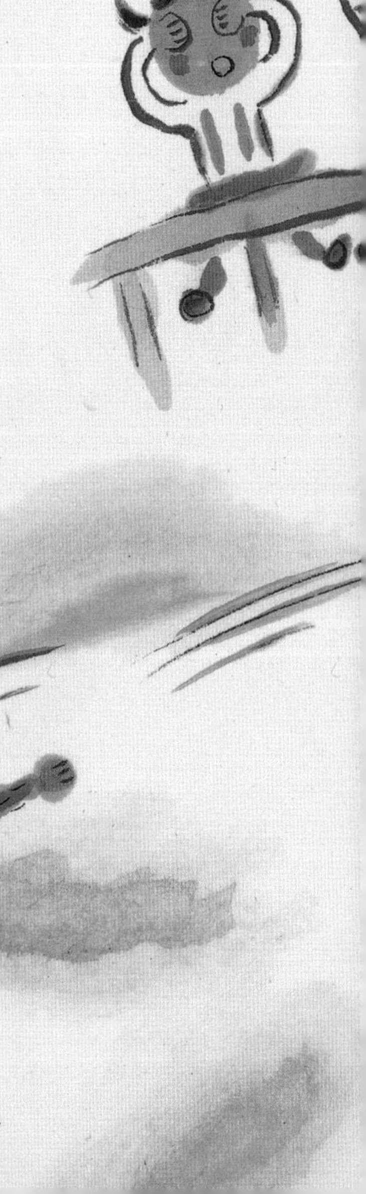

要	【襾】部 主要　要是 要緊　要害 要點　要不然
耍	【而】部 玩耍　耍花招 耍賴　耍把戲 耍脾氣

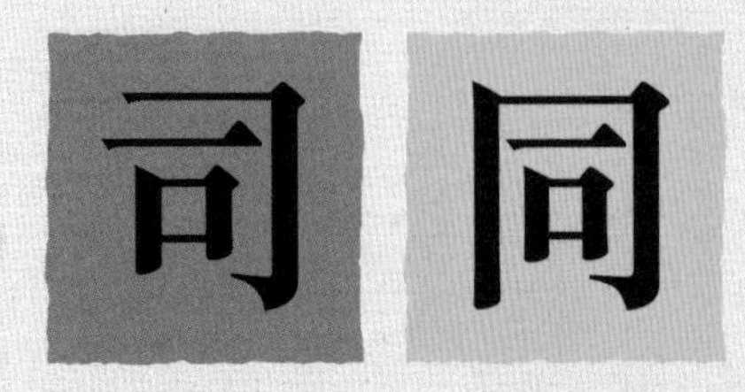

馬路左邊有好多公司，

馬路右邊有好多公司。

有的公司賣相同的東西，

有的公司賣不同的東西。

同樣都是好公司，

同樣都賣好東西。

司	【口】部 司機　司法 司馬　司令部
同	【口】部 同伴　同胞 同樣　同學

渴 喝

口渴了——

口渴了，喝開水，

口渴了，喝可樂。

口渴了——

有的人，喝開水，

有的人，喝可樂。

渴	【水】部 口渴
喝	【口】部 喝水　喝果汁 大吃大喝

大樹上，有黑鳥，

黑嘴黑腳黑羽毛。

屋頂上，有黑鳥，

黑嘴黑腳黑羽毛。

大樹上，有烏鴉，

屋頂上也有烏鴉。

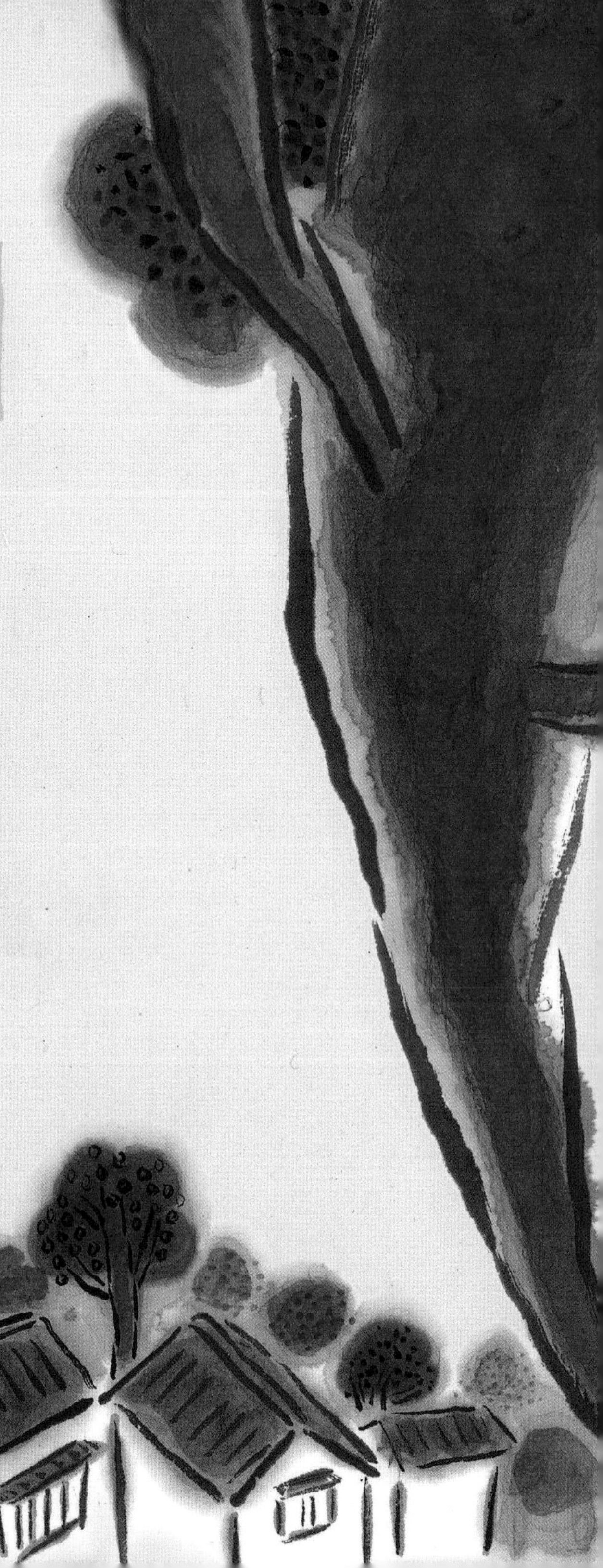

鳥	【鳥】部 鳥兒　鳥叫 飛鳥　母鳥
烏	【火】部 烏雲　烏賊 烏鴉　烏龜 烏黑　烏龍茶

困 因

困住了、困住了，

車子都困在山路上，

因為，大家都去賞花。

困住了、困住了，

車子都困在山路上，

因為，大家都要趕回家。

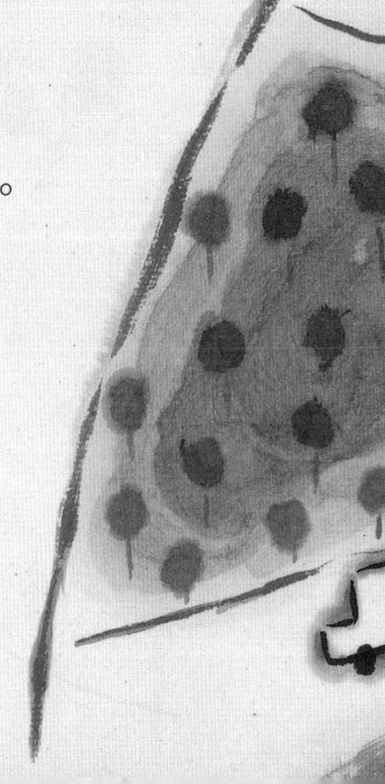

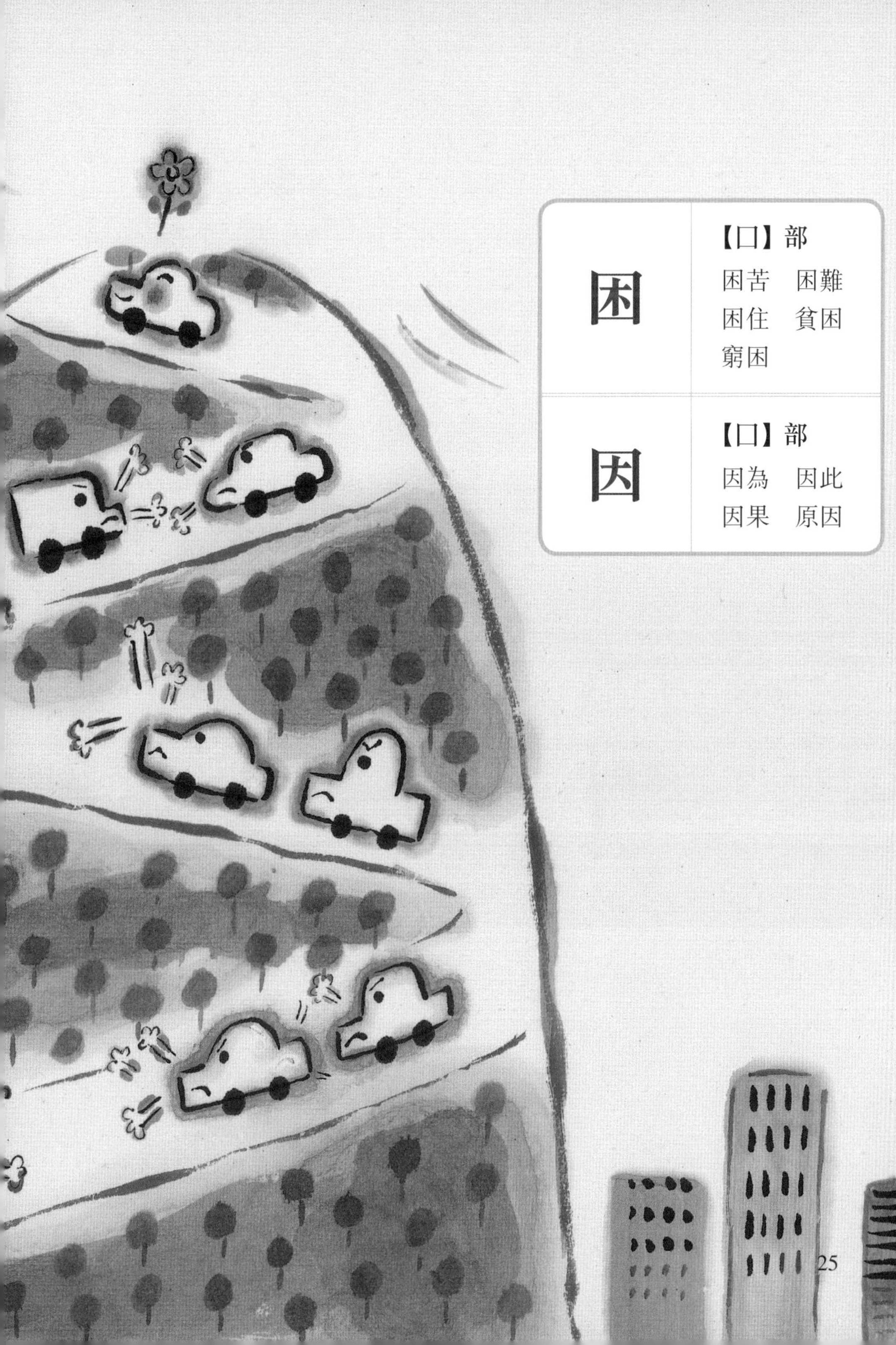

困	【口】部 困苦　困難 困住　貧困 窮困
因	【口】部 因為　因此 因果　原因

玻 坡

玻璃珠、玻璃珠，

我有彩色玻璃珠，

滾滾滾……滾下坡……

喀喀喀！喀喀喀！

玻璃珠，滾又跳，

玻璃珠，在賽跑。

玻	【玉】部 玻璃　玻璃紙 玻璃墊　玻璃絲襪
坡	【土】部 斜坡　山坡 上坡　下坡

熱 熟

天氣越來越熱，

芒果，漸漸成熟了。

天氣越來越熱，

荔枝，漸漸成熟了。

天氣越來越熱，

龍眼，也漸漸成熟了。

熱	【火】部 熱心　熱狗 熱鬧　熱帶魚 發熱　天氣熱
熟	【火】部 熟人　熟食 熟睡　成熟 煮熟　眼熟

帥師

帥先生，當老師，

帥老師，教唱歌，

帥老師，教寫字，

帥老師，教畫畫，

帥老師，教舞獅，

帥老師，多帥啊！

帥	【巾】部 統帥　元帥
師	【巾】部 老師　師父 師母　師生 師長

跛破

走路，一跛一跛，

原來是鞋子破了。

走路，一跛一跛，

原來是腳磨破皮了。

走路，一跛一跛，

原來是在演戲喔！

字	部首及詞語
跛	【足】部 跛子　跛腳
破	【石】部 破壞　破土 破皮　打破 破音字

凹凸

凹凹凸凸，

凹凹凸凸，

馬路凹凹凸凸，

車子經過像跳舞。

修一修、補一補，

走起路來，舒服。

凹	【凵】部 凹鏡　下凹 凹洞　凹面
凸	【凵】部 凸面　凸透鏡 凹凸　上凸

籃 藍

籃子裏裝毛線，

毛線一捲一捲。

籃子裏裝毛線，

毛線有深藍、有淺藍。

藍毛線，織毛衣，

毛衣有深有淺，真好看。

籃	【竹】部 籃子　籃球 竹籃　一籃 投籃
藍	【艸】部 藍色　藍天 藍寶石　水藍

籮 蘿

一籮蘿蔔，

兩籮蘿蔔，

三籮蘿蔔，

蘿蔔紅、蘿蔔白，

有的，煮來吃，

有的，拿去賣。

籮	【竹】部 籮筐　一籮
蘿	【艸】部 蘿蔔 蘿蔔乾

殼 穀

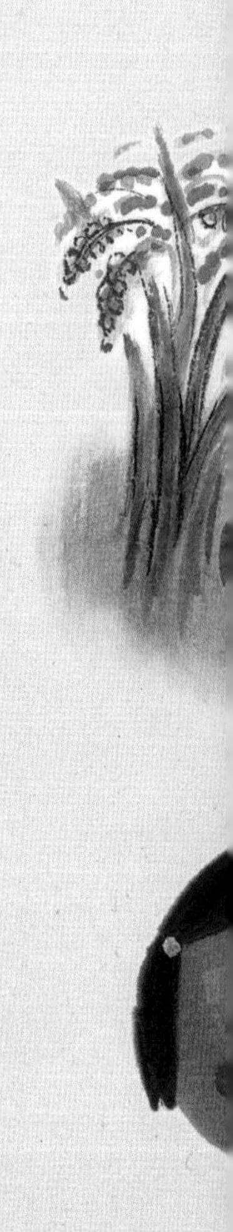

金黃色的殼，

金黃色的殼，

稻穀有金黃色的殼。

稻穀去了殼，

金黃色的稻穀

　變成白米了。

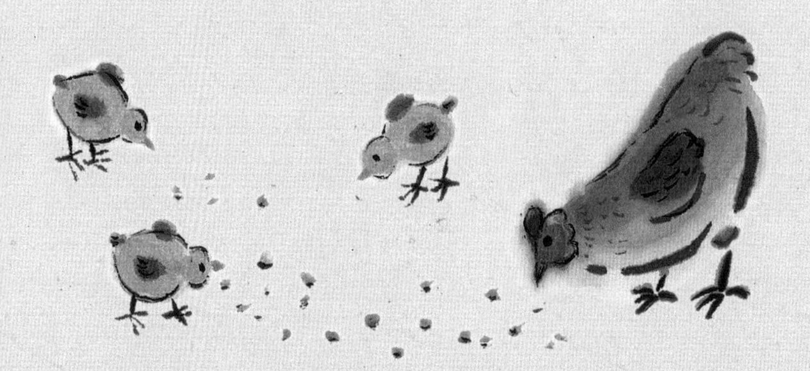

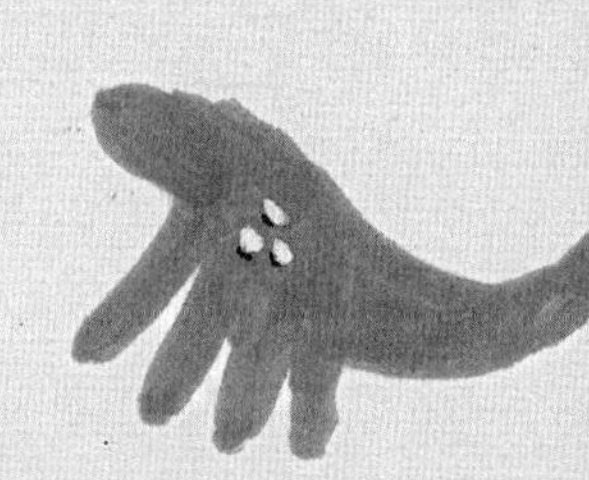

殼	【殳】部 蛋殼　地殼 龍眼殼
穀	【禾】部 稻穀　五穀 穀子　穀倉

己 已

不懂的字自己查字典，

不懂的詞自己查詞典，

自己找、自己查，

這本書已經看過了，

那本書已經看過了，

這些書都已經看過了。

己	【己】部 自己
已	【己】部 已經　已是

乒乓

乒乓球，真會彈，

乒乓球，真會跳。

乒乓球，彈得遠，

乒乓球，跳得高。

打球哪只是比力氣？

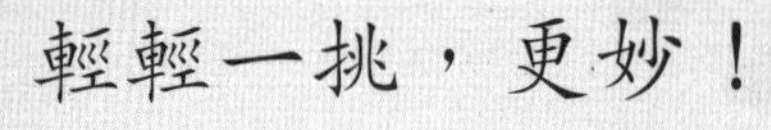

輕輕一挑，更妙！

乒	【丿】部 乒乓球
乓	【丶】部 乒乒乓乓

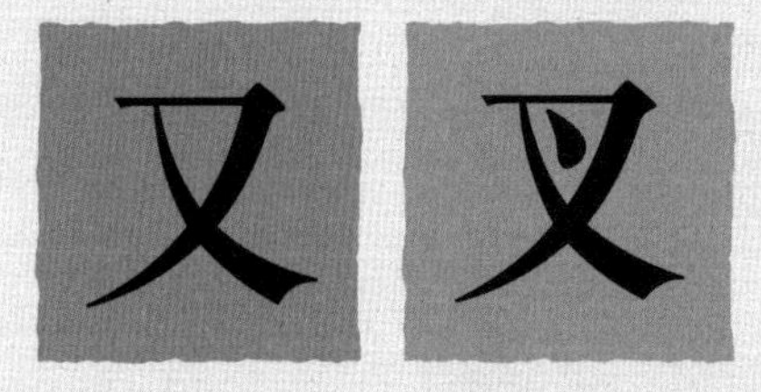

走呀走，走呀走，

叉走到叉路口，

往左走或往右走？

看衛星導航就會走。

走呀走，走呀走，

又來到三叉路口，

也會走。

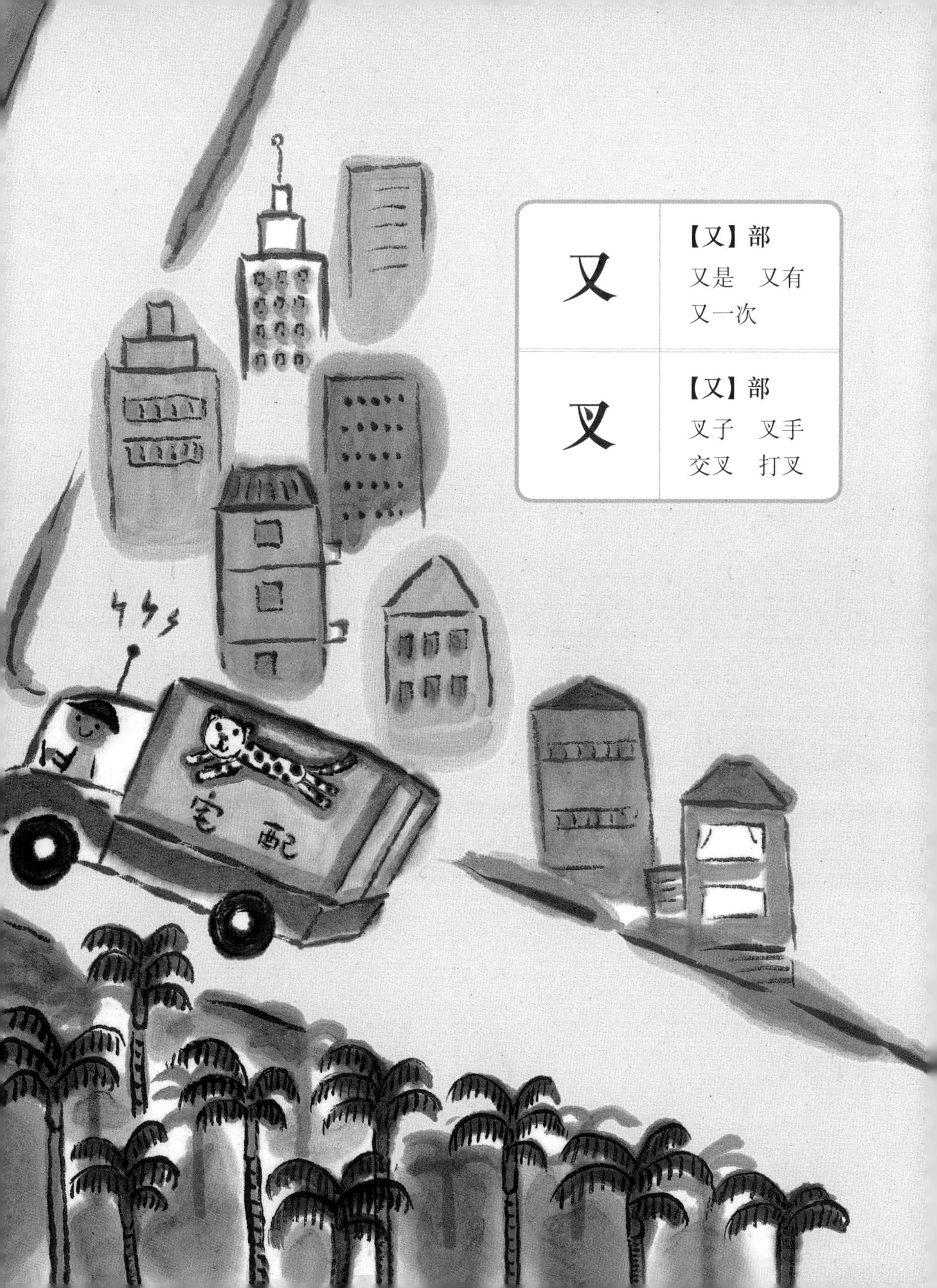

又	【又】部 又是　又有 又一次
叉	【又】部 叉子　叉手 交叉　打叉

甲由

我喜歡甲蟲，

說不出好理由。

我喜歡甲殼動物，

也想不出好理由。

真喜歡，那最好，

勝過一百個好理由。

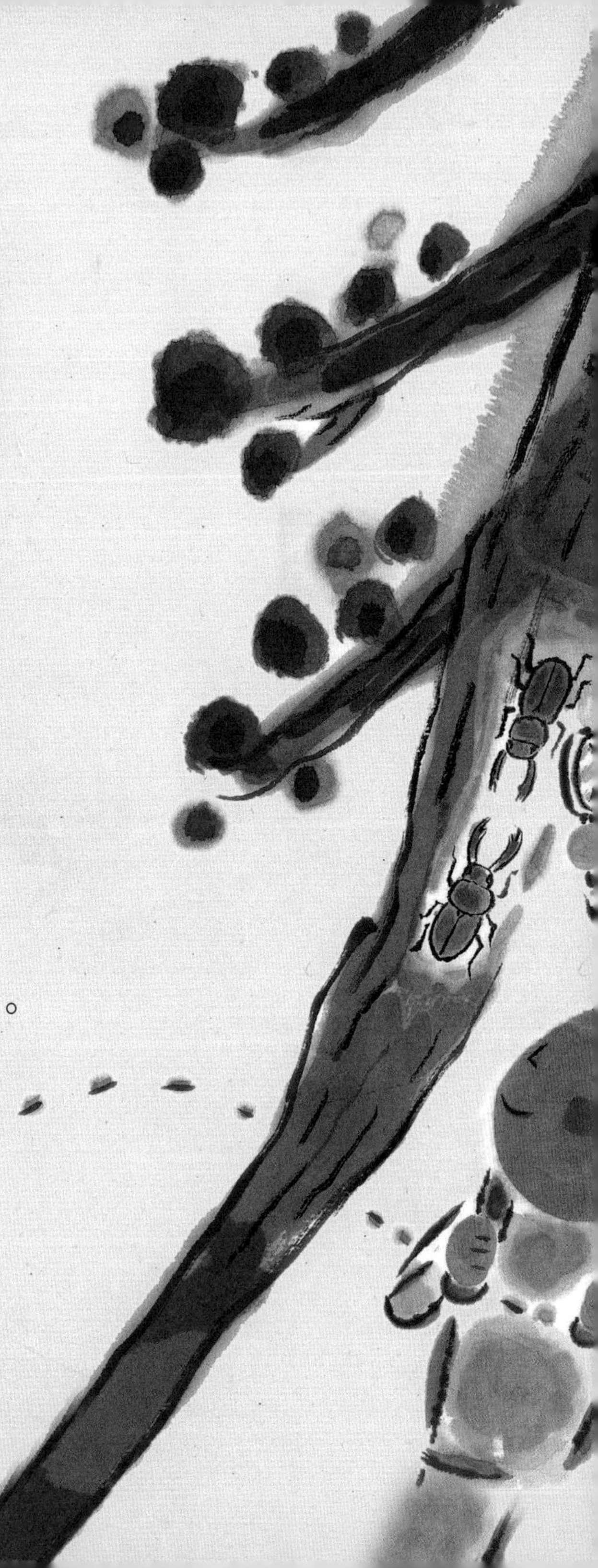

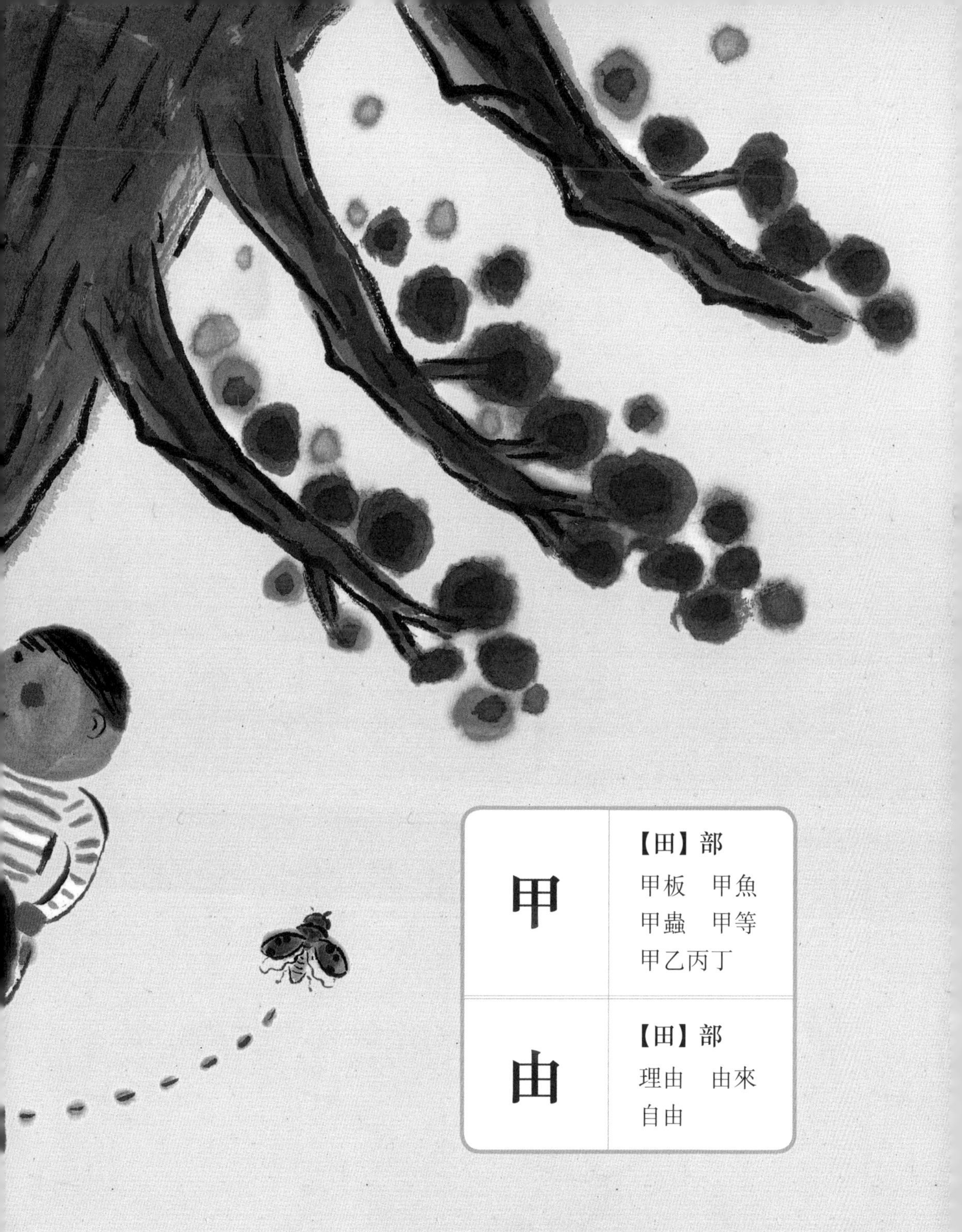

甲	【田】部 甲板　甲魚 甲蟲　甲等 甲乙丙丁
由	【田】部 理由　由來 自由

各名

各地有各地的名山，

各地有各地的名產。

各地有各地的名城，

各地有各地的名勝。

各有各的，美麗。

各有各的，名氣。

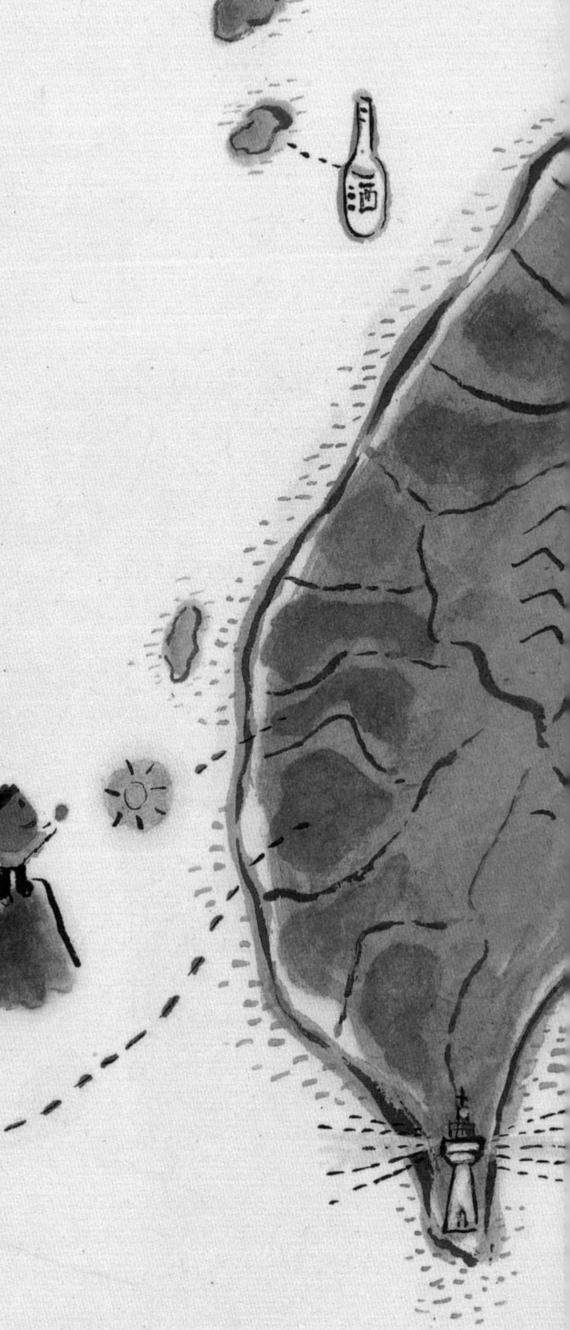

字	部首及詞語
各	【口】部 各人　各自 各位　各種 各類
名	【口】部 名字　名人 名冊　人名 名產　地名

別把「馮京」當「馬涼」

漢字是世界上特有的方塊字，每一個字有每一個字的形、每一個字有每一個字的音、每一個字有每一個的義。然而，有趣而弔詭的是，中文裏更有相似的形、相似的音、相似的義。想把它們辨認清楚，的確很不容易。這些文字經過「混搭」以後，就更容易造成「混淆」。更何況「混搭」以後，中文就變成一個龐大而深奧的系統。如果不仔細辨認，那就很可能造成「混亂」了。在閱讀和書寫的時候，常常會遇到兩個形狀很像的字，然而音和義卻完全不一樣，一不留神就會認錯。因此，就留下了把「馮京」看成「馬涼」的例子。大人都如此了，更何況是兒童呢？

形、音、義，既然是中文的重要元素。學習文字的形、音、義，就等於「預覽」了這個龐大系統。儘量把它辨認清楚以後，自己就擁有了最基礎的工具。因此，認識這個文字系統，就變成一件很重要的事。為了避免「混淆」甚至「混亂」，在「混搭」以前，先把每一個文字辨認清楚，就成了必須的功課。然後，再進一步辨認「形相近」的字組，就容易多了。

為了解決這個問題，我們先比對出約兩百五十組「形相近」的字。然後，再選出適合的數十組，成為本書的基礎結構。我們想以全新表達的妙點子，讓兒童對「形相近」而「義相遠」的字組，很快就能上手。然而，這種妙點子在哪裏呢？經過仔細的搜尋和多次的實驗，終於找出了獨特的表達方式。作者「假借」了雙胞胎的特徵，把兩個「形相近」的文字編成一組。再以兒歌的形式來表現，讓兒童在琅琅的兒歌中，自然而然的分辨出形狀相似的字。構想完成以後，歷經了十年的嘗試、醞釀和熟成，《文字雙胞胎》終於完成了。

雙胞胎乍看時是很像，但是仔細比對以後，還是有些不一樣。雙胞胎如此，文字也是如此。所以，「形像」的兩個字，經過「假借」以後，也就變得可以「意會」了，也就「馮京是馮京，馬涼是馬涼」了。

除了全新的表達方式外，書中並附加了部首、相關的詞彙。希望能幫助被「形相近」所困惑的兒童，在認字、閱讀和書寫的時候，能帶來便利、喜悅和樂趣。